JESUS ABRE OS SELOS

- VOLUME 5 -

Professora Rute Mendonça
Pregadora Ecumênica da Religião de
Deus, do Cristo e do Espírito Santo

William Luz
Coordenação e desenhos

Texto inspirado nas explicações do Irmão Paiva Netto sobre o Apocalipse do Divino Mestre pela Super Rede Boa Vontade de Comunicação.

Soldadinhos de Deus LBV
Boa Vontade KIDS

São Paulo/SP — Brasil — 2025
Editora Elevação

Autora: Rute Mendonça
Coordenação e desenhos: William Luz
Produção editorial, desenhos e revisão: Equipe Soldadinhos de Deus
Impressão: Mundial Gráfica

Depósito legal na Biblioteca Nacional conforme
Decreto nº 1.825, de 20 de dezembro de 1907.

Dados Internacionais de Catalogação na Publicação (CIP)

M539j

Mendonça, Rute

Jesus abre os selos — 1ª ed. — São Paulo : Editora Elevação, 2025,
v.5. (Coleção Ecumênica O Apocalipse de Jesus para as crianças).
Ilustração William Luz. 32. p. : 24 x 24 cm.

ISBN 978-65-85860-10-9

1. **Quarta Revelação**. 2. Jesus Cristo. 3. Espiritualidade. 4.
Apocalipse de Jesus. 5. Evangelho de Jesus. 6. Paiva Netto, José de.
I. Luz, William. II. Título

CDD-228.07

Índice para catálogo sistemático:
1. Apocalipse : Comentários 228.07

Rua Doraci, 2-A, sala 103 – Bom Retiro
São Paulo/SP – CEP 01134-050

ELEVAÇÃO

www.elevacao.com.br

Vamos ler com os nossos pais o

Tratado do Novo Mandamento de Jesus,

reunido por Paiva Netto, consoante o Evangelho do Cristo de Deus, segundo João, 13:34 e 35; e 15:7, 8, 10 a 17 e 9.

Ensinou Jesus, o Cristo Ecumênico, o Divino Estadista*: "13:34 *Novo Mandamento vos dou: amai-vos como Eu vos amei.* 13:35 *Somente assim podereis ser reconhecidos como meus discípulos, se tiverdes o mesmo Amor uns pelos outros.*

15:7 *Se permanecerdes em mim e as minhas palavras em vós permanecerem, pedi o que quiserdes, e vos será concedido.* 15:8 *A glória de meu Pai está em que deis muito fruto; e assim sereis meus discípulos.*

15:10 *Se guardardes os meus mandamentos, permanecereis no meu Amor; assim como tenho guardado os mandamentos de meu Pai e permaneço no Seu Amor.*

15:11 *Tenho-vos dito estas coisas a fim de que a minha alegria esteja em vós e a vossa alegria seja completa.*

15:12 *O meu Mandamento é este: que vos ameis como Eu vos tenho amado.* 15:13 *Não há maior Amor do que doar a própria vida pelos seus*

amigos. 15:14 *E vós sereis meus amigos se fizerdes o que Eu vos mando.* 15:17 *E Eu vos mando isto: amai-vos como Eu vos amei.*

15:15 *Já não mais vos chamo servos, porque o servo não sabe o que faz o seu senhor; mas tenho-vos chamado amigos, porque tudo quanto aprendi com meu Pai vos tenho dado a conhecer.*

15:16 *Não fostes vós que me escolhestes; pelo contrário, fui Eu que vos escolhi e vos designei para que vades e deis bons frutos, de modo que o vosso fruto permaneça, a fim de que tudo quanto pedirdes ao Pai em meu nome Ele vos conceda.*

15:17 *E isto Eu vos mando: que vos ameis como Eu vos tenho amado.* 15:9 *Porquanto, da mesma forma como o Pai me ama, Eu também vos amo. Permanecei no meu Amor".*

* **Jesus, o Cristo Ecumênico, o Divino Estadista** — Leia sobre o assunto na página 32.

Jesus
Ilustração que representa Jesus, o Cristo Ecumênico, o Divino Estadista.

João Evangelista
Ilustração que retrata João, o Evangelista e Profeta, Discípulo de Jesus.

Vovó Lola
Gosta de contar histórias e aproveitar o tempo com seus netos. Ela é muito paciente e extremamente bondosa.

Sarita — 9 anos
Curiosa e inteligente, ela adora conhecer novos lugares e faz amigos por onde passa.

Vítor — 12 anos
Gosta de ler e estudar assuntos diversos, além de querer sempre aprender.

Juju — 10 anos
Cheia de energia, gosta mesmo é de explorar e aprender novas coisas e também passar tempo com os amigos.

Luizinha — 8 anos
É muito alegre, divertida e sorridente. Seu lazer preferido é brincar.

Yuri — 9 anos
Extrovertido, ama conversar e fazer novos amigos. Ele é muito alto-astral.

Prece para ter Tranquilidade[*]

Paiva Netto

Só Jesus salva!
Dele a Paz virá,
Para o coração
Que quer Seu perdão.

Vem, ó Mestre, a nós!
Não nos deixes sós!
Tudo é sempre dor
Sem o Teu Amor!

[*] Em 4 de fevereiro de 1999, na cidade de Glorinha/RS, o escritor Paiva Netto compôs a melodia e a letra desta belíssima oração, que conforta e ameniza as dores de todos os que sofrem. A composição integra o Oratório *O Mistério de Deus Revelado*.
Baixe o aplicativo Boa Vontade Play em seu dispositivo móvel e ouça a música.
www.boavontade.com/play

JOÃO E OS PERGAMINHOS

Mais um dia amanhece, e as férias na casa da vovó Lola não poderiam estar mais divertidas. As crianças, animadas, aproveitam para brincar e se divertir o quanto podem.

Lá fora, o céu está nublado, e as nuvens carregadas anunciam que logo irá chover. Mas, para essa turminha, não há tempo ruim quando o assunto é diversão. No quarto, elas vão de uma brincadeira a outra. A bola da vez é fazer adivinhações, e é a Juju quem explica como será.

— Gente, a brincadeira vai ser assim: eu vou começar a fazer um desenho no papel e, antes de finalizar esse desenho, vou entregar uma folha para cada um vocês. Cada um vai completar o desenho conforme imaginar o que seja. Depois revelo o que tinha imaginado. Tudo bem?

ATIVIDADE

Na página 27, use sua imaginação para completar um desenho. Em seguida, veja na página 10 o que a Juju imaginou.

E assim ocorre a brincadeira: um completa o desenho fazendo um sol; outro desenha uma maçã; já outro, um carro; e também um relógio... Cada criança tem a oportunidade de apresentar a sua versão, até que chega a vez da Juju revelar a ideia original: uma bola de basquete. Todos entendem que a visão de cada um sobre determinada coisa é diferente.

De tão envolvente a brincadeira, elas só percebem que a hora havia passado porque dona Lola entra no quarto observando:

— Olá, crianças, aproveitando que vocês estão aí com lápis e papel na mão, que tal entendermos como era a escrita naquele tempo e como, possivelmente, João Evangelista escreveu as mensagens de Jesus lá na ilha de Patmos?

— É mesmo! A senhora ficou de nos contar — relembra Vítor.

— Naquela época, não existiam papéis e canetas como temos hoje. Os escribas, que eram as pessoas que sabiam escrever, usavam uma planta chamada papiro para fazer papel. Eles cortavam o caule em tiras, entrelaçavam, secavam e alisavam essas tiras para fazer papel. Também usavam folhas feitas de couro de animais, que eram os pergaminhos, para enviar mensagens.

— E como escreviam se não existiam canetas?

— O interessante, Sarita, é que elas cortavam uma extremidade de uma pena ou o talo de uma planta, moldavam uma ponta e, pela abertura, colocavam a tinta. Essa era uma das formas como escreviam antigamente. Assim, João não perdeu tempo e foi anotando tudo o que via e ouvia.

— Ah, e essa foi uma ordem que ele recebeu de Jesus!

— Sim, Juju! E, depois de escrever as cartas às Sete Igrejas da Ásia, João olhou para o céu e viu uma porta aberta e ouviu uma voz forte, como de trombeta, que lhe ordenou que subisse para lá para ver todas as coisas que aconteceriam.

— Uma porta aberta no céu? Como assim, vovó? Nas nuvens?

— Sarita, João estava com o pensamento ligado o tempo todo a Jesus, que tem o Poder de Deus para nos mostrar uma porta aberta seja onde for. E, naquele momento, João recebeu uma Divina Permissão para subir aos Céus, em Espírito, onde ele iria ver e ouvir tudo o que teria que escrever.

— Que legal! Subiu até as nuvens! E o que ele viu lá, dona Lola?

A VISÃO DO TRONO DE DEUS

— Lá, Yuri, João teve a visão de algo muito grandioso, repleto de símbolos. Vocês imaginam o que seria? Era a visão do Trono de Deus!

— Um Trono de Deus? — pergunta Yuri novamente. — Mas Ele é um rei?

— Com quem será que Ele se parece? Comigo? — pergunta Luizinha.

— Luizinha, lembra-se da brincadeira de vocês em que cada um tinha que completar o desenho do outro tentando compreender o verdadeiro significado? Pois bem, com João Evangelista foi mais ou menos isso. Ele descreveu tudo o que via naquele momento usando vários símbolos, deixando para nós a possibilidade de entendimento conforme o coração de cada um.

— Mas, vovó, eu fico pensando, será que Deus tem um rosto igual ao da gente?

— Yuri, essa é uma dúvida que muita gente tem! Certa vez, fizeram essa pergunta para o Irmão Paiva, e ele respondeu assim: *"A Face de Deus é o Amor. Quanto mais amamos, mais Ele se manifesta em nós"*.

— Nossa, que coisa linda, vovó! Pensando assim, a gente vê que Deus é tudo de bom que a gente precisa para ser feliz!

— Pois é, Sarita, e não deve ter sido fácil para João escrever tudo isso... Que bom que, mesmo depois de muitos, muitos anos, a gente está conseguindo entender o que ele escreveu! — destaca Vítor.

— Sim, crianças, foi um grande desafio para ele. Por isso, Deus enviou um Anjo para ajudá-lo no entendimento de tudo! Então, vamos conhecer mais alguns símbolos: ele viu um trono e, em volta dele, havia um arco-íris e 24 anciãos sentados em seus tronos, vestidos de branco e com coroas de ouro na cabeça.

— Vovó, ancião é uma pessoa idosa, não é?! E por que tinham 24 anciãos ao redor do Trono de Deus?

— Juju, você está certa, anciãos ou anciãs são Espíritos que viveram muito, que têm muita experiência de vida, e, no Apocalipse, eles representam a Sabedoria.

— E por que todos estão vestidos com roupas brancas? Tem algum significado especial, vovó? — quer saber Sarita.

— As roupas brancas significam que esses Espíritos têm Boas Obras e, por serem Almas perseverantes e dedicadas, merecem estar diante de Deus!

— Quanta coisa ele viu, não é, vovó?

— Sim, Vítor! E João Evangelista, na sua narração, cita ainda tochas de fogo, pedras preciosas, relâmpagos, trovões, mar de vidro... Mas existe um símbolo tão importante quanto os outros que quero dar um destaque especial: são os quatro seres viventes que também estavam ali. O primeiro é semelhante a um leão, representando a força; o segundo, semelhante a novilho, como um bezerrinho...

— Ah, vovó, o bezerrinho é o filhote da vaca?

— Sim, Luizinha, e o novilho representa a perseverança, por ser uma vida que está começando; o terceiro ser vivente é semelhante a rosto de homem, mas não de alguém específico, e simboliza a razão, a capacidade do ser humano de pensar; e, por fim, o quarto é semelhante a uma águia quando está voando...

— Será que ela está voando alto e rápido?

— Sim, Yuri, e esse é o significado dela, ter velocidade e rapidez para ver mesmo à distância. Percebam quanta coisa já falamos até agora! Que tal fazermos uma atividade?

— Ótima ideia, vovó! O que vamos fazer? — pergunta Luizinha, entusiasmada.

ATIVIDADE

Ligue os pontos e descubra as imagens que representam os 4 seres viventes.

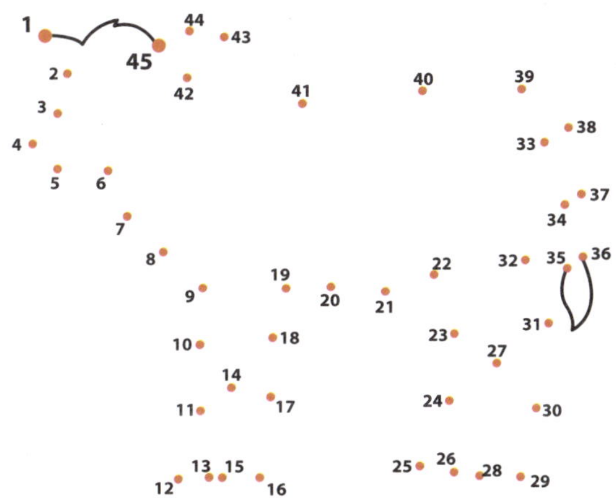

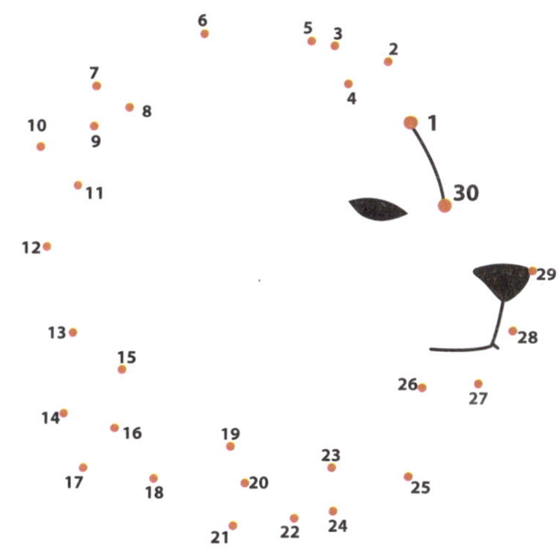

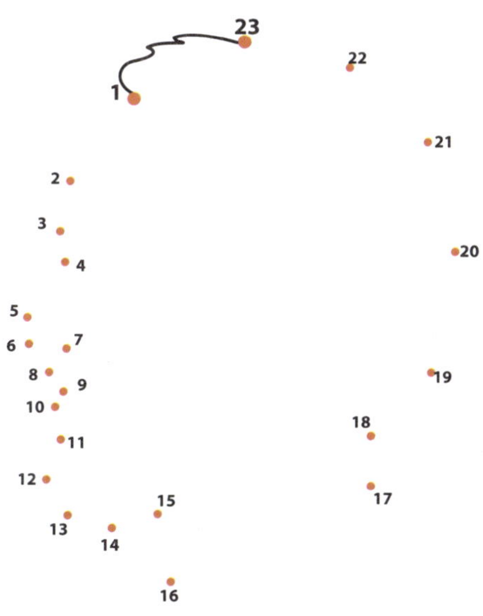

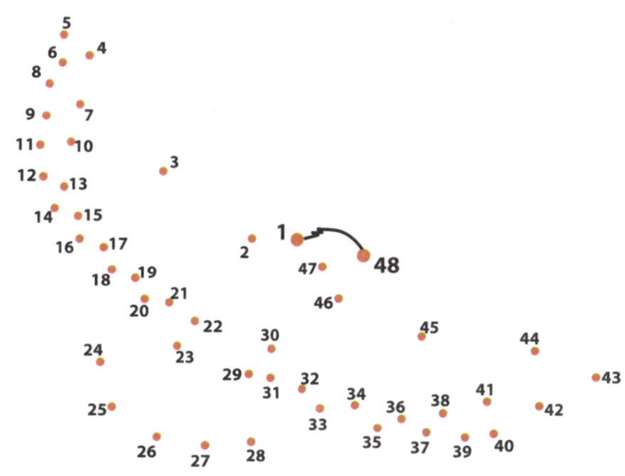

UM LIVRO SELADO COM SETE SELOS

— Vamos continuar entendendo as visões que João Evangelista teve naquele momento: Aquele que estava sentado no trono tinha na mão direita um livro escrito por dentro e por fora e todo selado com Sete Selos.

— Então, era um livro muito importante mesmo! Estava na mão direita de Deus e ainda cheio de selos! — reflete Vítor.

— Era e é um livro muito importante, porque é o Apocalipse de Jesus! — destaca dona Lola.

— Mas, vovó, como é um livro selado?

— Vamos comparar: se eu precisar enviar uma mensagem, uma carta, para uma amiga, é comum colocar uma figurinha, como se fosse um selo, fechando aquela carta. E como o livro estava fechado com Sete Selos, ninguém podia abri-lo e nem olhar para ele.

— Se estava selado, fechado com Sete Selos, como conseguiram abrir o livro e ler o que estava escrito nele?

— Acontece, Sarita, que, nesta hora, João viu um Anjo muito forte, que proclamava em grande voz: *"Quem é digno de abrir o livro e de lhe desatar os selos?*"*

— E apareceu alguém para abrir os selos, vó? — pergunta Luizinha com curiosidade.

— Pois é, João chorava muito porque, nem no Céu, nem sobre a Terra, nem debaixo da Terra, ninguém podia abrir este livro.

* Apocalipse de Jesus, 5:2.

— E o que aconteceu?

— Aconteceu, Juju, que um dos anciãos confortou o coração de João dizendo que ele não chorasse, porque Jesus, o Cristo de Deus, fora achado digno de abrir o livro e os Sete Selos*.

— Ainda bem, vovó! Eu já estava aflita aqui.

— Sarita, a emoção que você está sentindo e nós aqui também é a mesma que tomou conta do coração dos que estavam ao redor do Trono de Deus.

— A senhora, contando assim, me faz sentir como se eu estivesse lá também! — comenta Juju.

— Dona Lola, como Jesus fez para abrir os selos? Abriu todos de uma vez?

— Calma, Yuri! Cada instante dessa visão de João Evangelista é uma confirmação do Poder que Deus concedeu a Jesus para nos proteger. E o Cristo aceitou a missão de vir à Terra para iluminar nosso caminho com Seu Amor e humildade, nos ajudando a compreender a mensagem do Apocalipse, que vem de Deus!

— E o que aconteceu depois? — Luizinha está de olhos arregalados de tanta expectativa!

— Jesus tomou o livro Daquele que estava sentado no trono, e os quatro seres viventes e os 24 anciãos curvaram-se diante do Cordeiro e entoavam um cântico reconhecendo que Jesus é digno de abrir o livro e de desatar-lhe os selos.

* Apocalipse de Jesus, 5:5.

— Nossa, então eles estavam tão felizes que cantavam louvando a Jesus?!

— Isso mesmo, Sarita! Que tal encerrarmos nossa conversa hoje cantando uma Música Legionária para agradecer a Jesus por tudo o que Ele fez e faz por nós?

APRENDI COM JESUS!

Letra e música: Nilton Duarte

Tum, tum, tchiá, cati, cati, tchiá...

Quando penso em Deus,
Eu penso assim:
Eu te amo!

Quando falo com Ele,
Converso assim:
Eu te amo!

Quando vou à escola,
Aprendo assim:
Eu te amo!

A quem está ao meu lado
Eu digo assim:
Eu te amo!

Aprendi com Jesus.
Agora eu sei:
"Amai-vos uns aos outros
como Eu vos amei".

Tum, tum, tchiá, cati, cati, tchiá...
Tum, tum, tchiá, cati, cati, tchiá...
Tum, tum, tchiá, cati, cati, tchiá...
Pshhhh....

Baixe o aplicativo Boa Vontade Play em seu dispositivo móvel e ouça a música.
www.boavontade.com/play

O QUE APRENDEMOS HOJE:

* Na época de Jesus, pergaminho e penas de aves eram recursos para ajudar a escrever e deixar tudo registrado.

* A porta aberta no Céu significa que tudo o que vem de Deus está à disposição de todos os que praticam Seus ensinamentos e se conectam com Ele.

* O Trono de Deus é cheio de símbolos importantes e podem ter diferentes interpretações para revelar que Deus é Amor.

* Aquele que estava sentado no Trono tinha na mão direita um livro selado com Sete Selos.

* Jesus, o Cristo de Deus, foi o único com Autoridade e Poder para abrir os selos.

USE SUA IMAGINAÇÃO PARA COMPLETAR O DESENHO. NÃO SE ESQUEÇA DE CONFERIR NA PÁGINA 10 O QUE A JUJU IMAGINOU E CONTINUE A HISTÓRIA.

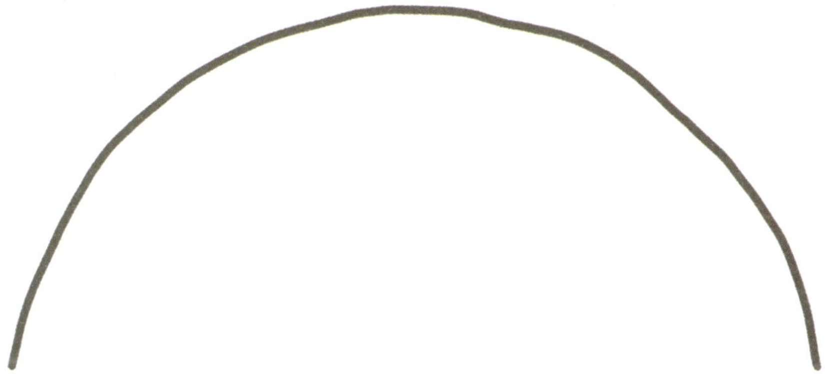

CADERNO DE ATIVIDADES

AJUDE JOÃO A ENCONTRAR O PERGAMINHO

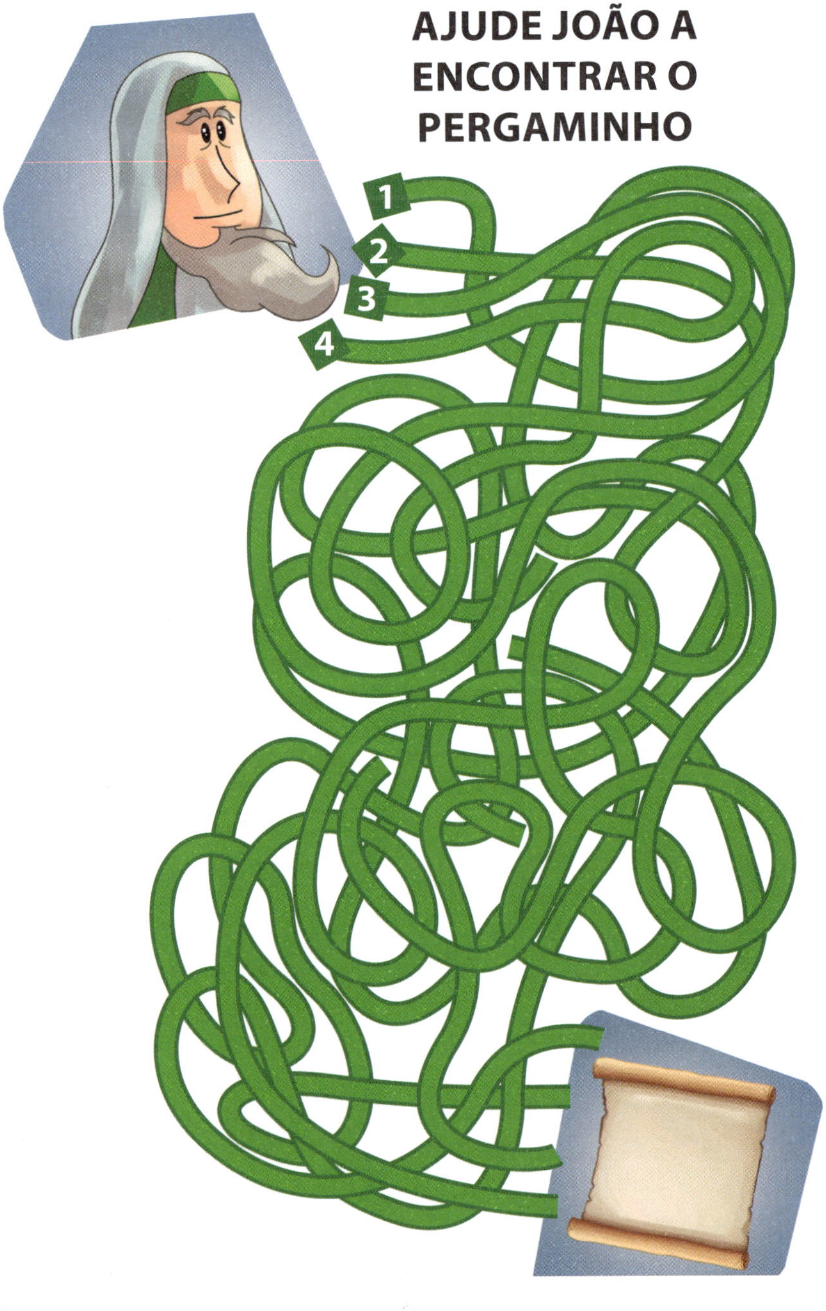

QUAL DOS DESENHOS CORRESPONDE AO ANJO EM DESTAQUE?

DESCUBRA OS 7 ERROS

Respostas na página 31

VAMOS COLORIR?

DECIFRE O CÓDIGO E DESCUBRA O PENSAMENTO

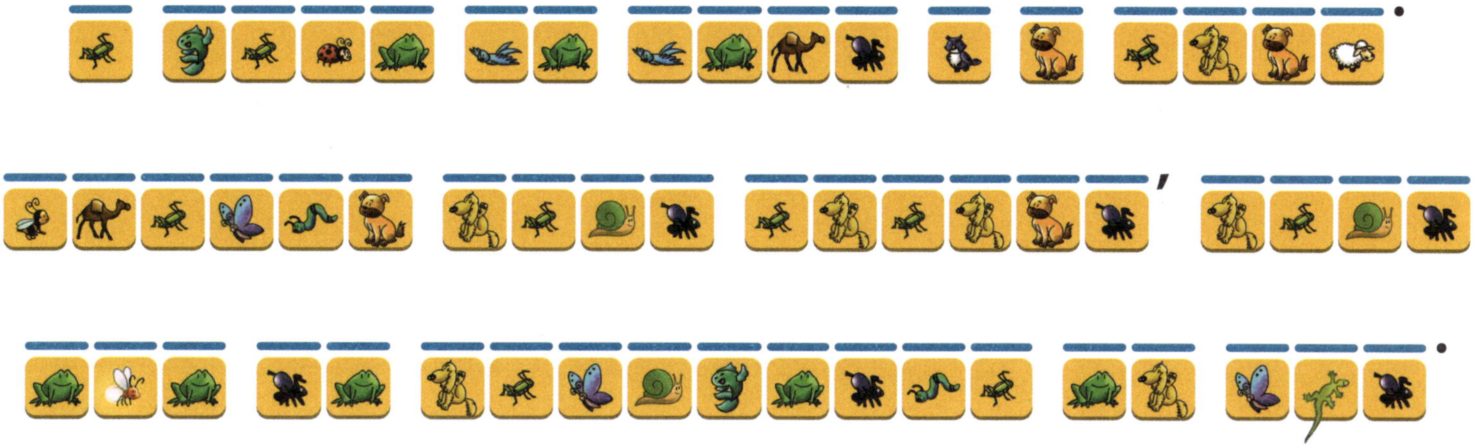

PAIVA NETTO

RESPOSTAS

Respostas da página 28:
Ajude João a encontrar o pergaminho
Resposta: 2
Qual dos desenhos corresponde ao Anjo em destaque?
Resposta: 1

Resposta da página 29:
Descubra os 7 erros

Resposta da página 31:
Decifre o código e descubra o pensamento
Resposta: *"A Face de Deus é o Amor. Quanto mais amamos, mais Ele se manifesta em nós."* (Paiva Netto)

Jesus, o Cristo Ecumênico, o Divino Estadista

Aos pais, responsáveis e educadores, apresentamos este conceito criado pelo Presidente-Pregador da Religião de Deus, do Cristo e do Espírito Santo, José de Paiva Netto, durante histórica entrevista que concedeu, em 1989, ao produtor de documentários da TV polonesa, na época Vice-Presidente da Associação Universal de Esperanto, jornalista Roman Dobrzyński. Na ocasião, Roman, analisando a missão do Templo da Boa Vontade (TBV), o Templo do Ecumenismo Divino, que Paiva Netto inauguraria no dia 21 de outubro daquele ano, em Brasília/DF, Brasil, arguiu o dirigente da Religião do Amor Universal sobre como podia pregar o Ecumenismo Irrestrito falando em Jesus. Paiva Netto, então, discorreu acerca do tema, resumindo décadas de pregação dele a respeito de assunto tão fundamental da doutrina da Religião do Terceiro Milênio: *"Uma das grandes tarefas da Religião de Deus, do Cristo e do Espírito Santo, meu caro Roman, é dessectarizá-Lo, pois Jesus é o Cristo Ecumênico, portanto universal. (...) O Divino Mestre* ***não é limitado****. Ele é o Ideal Celeste de Humanidade, Amor, Solidariedade, Justiça e Compaixão para todos os seres espirituais e humanos.* ***Jesus é uma conquista diária para os que têm sede de Saber, de Misericórdia, de Fraternidade, de Generosidade, de Liberdade e Igualdade, segundo a Lei Universal da Reencarnação. Jesus, em Si mesmo, não constitui fator de rancores e guerras.*** *Pregou, com o Seu Novo Mandamento* — 'Amai-vos como Eu vos amei. Somente assim podereis ser reconhecidos como meus discípulos' *(Evangelho, segundo João, 13:34 e 35)* —*, o Amor elevado à enésima potência. O que as criaturas terrenas fizeram com a Sua Mensagem é criação reducionista delas (...). Revelar o excelso significado do Seu Evangelho e do Seu Apocalipse, sem odiosa intolerância, ou seja, em Espírito e Verdade, à luz do Seu Novo Mandamento de Amor Fraternal, é um destacado serviço que a Religião de Deus, do Cristo e do Espírito Santo está prestando à sociedade do mundo (...)"*. Cabe destacar que Roman se tornou admirador e divulgador desse Ideal de Boa Vontade, constantemente encaminhando à Religião do Amor Universal histórias e experiências vivenciadas quando de suas palestras e aulas em diversos lugares do globo, entre estas as ministradas na Universidade de Pequim, na China.

Querido Soldadinho de Deus, estamos muito interessados em saber o que você achou desta história e o que aprendeu com ela. Peça para a mamãe, o papai ou o seu responsável para compartilhar suas ideias ou dúvidas sobre o Apocalipse conosco! Eles podem enviar esta página para a Rua Doraci, 90 — Bom Retiro — São Paulo/SP — CEP 01134-050. Ou, se for mais fácil, é só tirar uma foto e encaminhá-la para o nosso *e-mail:* editora@elevacao.com.br. Estamos aguardando sua participação!

Nome:
Idade:
Cidade:

Soldadinhos de Deus

LBV